꿈이라고 해도 너와 같은 꿈을 꾸고 있을 거야

-

1. 구운몽 九雲夢

2. 악몽 惡夢

3. 길몽 吉夢

4. 자각몽 自覺夢

1. 구운몽 九雲夢

나는 한밤중에 백조가 되어 춤을 춘다

모두가 잠든 야심한 밤
아무도 없는 숲속
오직 바람이 지나가는 소리만 들리는 지금 이 순간

낭만, 낭만
지겨울 때로 지겨워진 그 낭만

난 무언가에 이끌려
호수 위에서 한껏 몸을 움직인다

하얀 날개를 퍼덕이며

한참을 움직이다가 제자리에 멈춰
잠시 내려다보면

오리가 나를 바라보고 있었다

꿈의 결말

당신은 생각해 본 적 있나요?
그 꿈의 마지막 이야기는 어떻게 되었을지

때로는 허무하게
때로는 행복하게
때로는 비참하게

그렇게 끝나버렸던 그 꿈은
그저 꿈에 불과했습니다

만약 결말이 없는 결말이 있다면
바로 이게 아닐까요?

따끔거리다

첫사랑의 의미는 참 다양하다

누군가는 어릴 적 유치원에서 처음으로 좋아했던 친구가
누군가는 첫눈에 반한 사람이
누군가는 내가 지금 좋아하고 있는 사람과의 첫 만남이

가슴을 따갑게 했으니까

있잖아, 나는 그 사람을 보면
자꾸 눈을 피하게 돼
왜인지 모르겠지만 그 사람을 보고 있으면
너무 가슴이 따끔거리거든

시간의 궤적

내 시간의 궤적 속 너는

우연인지 운명인지 몰랐던 그 순간,
읽고 한참을 멍 때렸던 그 꽃말,
오직 나 혼자만 기억하던 그 날 있었던 일,
믿음이라는 것을 알려주는 계기가

모두 아름다워 보였다

비록 그 궤적이 더러울지라도,
아주 오래전에 지나가 잘 보이지 않을지라도,
시간이 흘러 기억이 나지 않아도,

모두 아름다워 보였다

내 시간의 궤적 속 너는
비가 오고 난 뒤의 무지개처럼
놀라움과 아름다움의 연속이었다

인어의 눈물

그거 알아?
인어가 눈물을 흘리면 그 눈물은 진주가 된대

인어가 눈물을 흘릴 때까지 참 많은 일이 있었겠지
가슴 아프고, 답답하고, 먹먹하고, 억울했겠지 아마?

하지만 그 눈물을 흘리기 위해 버렸던 시간보다
인어의 눈물은 너무 아름다웠어

그렇게 흘린 진주를 보고 인어는 무슨 생각을 했을까?

인어의 눈물은 진주가 되어 떨어진다

안개

그 사람과 떨어져 있는 시간 동안 가장 무서웠던 순간은
그 사람의 목소리가 기억나지 않았을 때다

사람이 죽기 마지막까지 남아있는 감각은
청각이라고 한다

떠나기 전 마지막 순간에
환청이라도 좋으니
그 사람의 목소리를 기억하고 떠날 수 있었으면

나는 눈사람

나는 누군가의 정성으로 만들어진 눈사람이다
시간이 갈수록 녹아 없어질 거라는 생각에
매일 작은 두려움을 갖고 살지만
사람들은 날 보고 기뻐하기에
나도 덩달아 기쁜 얼굴을 만들어 본다

녹아 없어질 거라 생각했던 나는
찬 바람이 불고
점점 얼어 붙어갔다

차갑게 얼어붙은 눈사람은
큰 결심을 했다

녹아서 없어져도 좋으니
누군가가 따뜻하게 안아줬으면

나비효과

너의 작은 움직임 하나로
나의 세계에는 큰 파도가 쳤다

하지만 때로는
너의 그 작은 움직임 하나로
나의 세계가 무너지려고 했다

10년 전 여름의 나무가 싱그러웠던 토요일

거리에서는 매미 소리와 자동차 소리가 들린다

정말 화나도록 덥다가
한 번씩 불어오는 바람에 화가 풀리곤 했다

하늘은 구름 한 점 없이 푸르고
나무는 눈부시도록 파랬다
저기 저 분수대에 몸을 던져버리고 싶었다

이제는 만질 수 없는 그때의 냄새

왠지 그때의 토요일은
여름이 잘 어울렸다

어쩌다 이렇게 됐을까?

2. 악몽　惡夢

절망의 미소

인간은 극한 상황에 직면하여
자신의 유한성과 허무성을 깨달았을 때
절망을 느낀다고 한다

그 이유는 단지
인간이었기 때문에

너를 처음 본 순간 느낀 감정이었는데

그토록 기다리던 너에게서 온 답장은
흰색이었다

신조차도 나를 버렸을 때

절망
우울
후회
캄캄
공허
허무
혼란
처량
처참
압박

오늘로써 나의 버릇이 끝났다
필요할 때만 신을 찾던 그 버릇이

버릇처럼 입에 달고 살았던 그 한마디
제발 한 번만

악마와 천사

깊은 잠에서 깨어나 살며시 눈을 뜨면
들려오는 두 개의 목소리

하나는 천사의 목소리였고
하나는 악마의 목소리였다

천사는 무턱대고 삶이 가치 있다고 하지만
악마는 죽음의 이유를 논리적으로 말해줬다

삶의 가치를 잃은 이 순간에서
누구의 말이 더 맞는걸까

천사의 키스는 고통스럽지만 당신을 구원하고,
악마의 키스는 달콤하지만 당신을 나락으로
떨어트린다

의자가 되고 싶다

하얀 의자가 되고 싶었다
때 묻지 않게 조심히 앉다 가기를 바랐다
많은 의자들 사이에서 너에게 돋보이고 싶었다
작은 색깔로도 알아차려 줬으면 좋겠다고 생각했다

곧 떠나게 될 너에게

내가 정말 많이 사랑했는데
앞으로도 사랑하려면
여기서 끝내야 되는 게
맞을지도 몰라

마지막으로 하고 싶은 말은?

희망과 소망

희망과 소망은 얼핏 보기에 비슷한 단어 같지만
한 글자 차이로 그들의 운명은 달라졌다

희망이라는 것은 이제는 소망할 수 있다는 것이고
소망이라는 것은 희망을 위해 존재하는 것이다

무의미에 현혹되다

당신은 왜 하필 어젯밤 나의 꿈속에 나와서
내 하루를 흔들려고 하시나요

어차피 아무 의미 없는 꿈이라는 것을 알지만
그래도
자꾸 눈길이 가네요

어차피 나만 겪은 우리의 추억이지만
적어도
두 번은 내 꿈속에 나와주셔야 되는 거 아닌가요?

그렇게 허무하게 사라질거면
무슨 의미 전하려고
나에게 들어오셨나요

때로는 의미 없는 사랑이 더 달콤하다

멀리 더 멀리

"다시 돌아가자" 라고
다시는 말할 수 없는 때가 되어버렸을 때

눈빛은 어느 때와 달리 너무나 진심이었다
하늘과 나를 바라보며 맹세한 결심이었다

입에서 이 말 한마디가 나오는 게
이토록 어려웠던가

그토록 미워했지만
지금 이 순간만큼은
꿈이기를 간절히 빌었다

회상

지나간 일을 다시 생각해 봤다

그때는 무자비하게 서로를 깎아내리느라 바빴는데
지금 생각해보니

뭐 때문에 그랬더라

온통 하얀 방

달려도 달려도 끝이 보이지 않는 숲속
가빠지는 숨소리
빨리 벗어나기를 바라며 앞만 보고 뛰었다

'잠깐만, 내가 왜 달리고 있더라?'
하며 그냥 제자리에 멈춰 버렸다

"혹시 만약에 내가 꿈이랑 현실을 구별하지 못하게 되면
어떡하지?"

"뭐 어쩌겠어
그런데, 넌 지금 누구에게 말하고 있니?"

어차피 악몽도 그저 꿈일 뿐이니까

자물쇠

내가 순식간에 무너져 내렸던 순간은

항상 울고 있던 너를 본 순간이 아니라
항상 웃고 있던 네가 울고 있는 순간이었다

네가 울지 않을 수만 있다면
내가 너의 아픔마저도 사랑해줄게

세상 그 무엇보다도

당신은 알까요?

멋지다 멋지다 하는 게
단순히 얼굴 때문이 아니라는걸

나를 매번 하얗게 물들이던 너의 말들 하나하나가
전부 잊히지 않고 계속 주위를 맴돌아

상심

세상을 핑크빛으로 물들여줬던 너는
반대로 하얗게 물들여 주는 것도 잘했다

쿨한 척

잘 살아

못났던 나 잊어버리고
지금보다 더 행복하게 살아
내가 멀리서 한 번씩 응원할게

비하인드 스토리

처음이자 마지막 기회라고 생각했다
신이 나에게 주신 가호라고 생각했다

한 치 앞도 보이지 않던 나의 날씨에
조금씩 빛이 모이기 시작했다

지금 이 순간
결정적인 순간을 만들어내지 못한다면
이 순간 뒤에 나의 결말은 보나마나
절망이라고 생각했다

시간과 조건과 관계가
한 번에 마주 보는 그 순간

나는 유리구두 한쪽을 벗었다

이제는 안녕,

그 길을 지나가면 마음이 편해질 거야

부끄럽던 과거도
계속 담고만 있던 후회도

모두 잊어버리게 될 거야

그 길을 따라 걸어가다 보면
검은 수사슴이 보일 텐데

그 사슴을 따라가

이제 너는 혼자가 아니야

뻔한 사랑 노래

사람들은 지겹지도 않은가

매번 똑같은 사랑 노래를
뻔한 사랑 노래를 부른다

사랑하고 이별하고 아파하고 그리워하고

적어도 나는 그런 뻔한 사랑 노래를
부르고 싶지 않았다

사랑의 색깔은 _ _ 색이다

3. 길몽 吉夢

999송이 장미

어느 생이건 당신을 사랑합니다
다음 생에도
그다음 생에도 내 곁에 와주세요

멀리 떨어져 있더라 하더라도
내가 꼭 찾아낼게요

멸망이 다가올 때

어렸을 때 엄마에게 물어본 적이 있다

"엄마, 만약 지구가 몇 분 뒤 멸망한다면
뭘 할 거야?"

그러자 엄마가 대답했다

"침대에 누워서 너랑 동생이랑 이야기를 나누다가
사랑한다고 하고 꼭 껴안아 줄 거야"

정말로 그래 준다면
멸망 그까지야 무서울 게 뭐가 있겠어?

그 사람의 뒷모습

어? 그 사람이다

쉽게 눈을 떼지 못한다
자꾸만 눈이 갔다

한편으로는 뒤 돌아 봐주길 원했지만
또 한편으로는 그대로 있어주길 바랐다

그저 바라보는 것만으로도
웃음이 나왔다

사실 행복이 두려워

너의 세계에서 온 편지

사랑한다 많이
사랑한대 많이

무심코 던진 단어 사이에
l 를 더했더니
세계가 되었다

행복은 자신도 모른 채 스며들어 있다

하루의 긴 일과가 끝나고

무거운
가벼운
발걸음으로 집으로 돌아갔다

언제쯤 바뀔지 모르는 신호등
무거워져가는 어깨
자꾸만 멈출 것 같은 다리가

나를 집으로 가고 싶게 만들었다

집에 도착해
엘리베이터 층을 누르고
타고 올라가 도어락 비밀번호를 누른 뒤
현관문을 열고 집으로 들어가면

익숙한 냄새

다시 돌아올 집이 있어서 행복했다

바닷가 모래알의 망상

-나도 사실 그때 너를 좋아했어
-근데 왜 좋아했다고 말을 하지 않았죠?
-네가 너무 반짝였거든

그래, 단순하면 됐지

나는 항상 모든 게 중간이었다

키도 중간
성적도 중간
외모도 중간
운동 실력도 중간
가진 돈도 중간

이 생각을 학교 끝나고 비 오는 날
우산을 쓰고 집에 가며 생각했었는데

정말 우산을 던져버리고 어디론가 도망가고 싶었다

하지만 집에 다다를 때쯤
뒤통수를 가격하는 듯한 생각이 떠올랐다

'중간이면.. 가운데라는 거잖아?
뭐야 내가 중심인거구만!'

너의 온 세상

너의 온 세상이 되고 싶어
하나부터 열까지 너의 영향이 되고 싶어
낡고 손때가 묻은 페이지가 되고 싶어
잠시 동안이라도 쉴 수 있는 의자가 되고 싶어

그냥 손짓 하나면 충분해

아 쉽다라고 생각한 사랑이 참 아쉽다

-비투비 [잘 지내겠죠 中]-

러시안룰렛

무진장 많이 좋아했다
아니, 좋아함을 넘어 사랑했다

나만 힘든 걸 알았지만
나만 무너질 걸 알았지만

모든 걸 다 안고 뛰어들고 싶었다

의미 있는 도박이라고 생각했다

사랑이라는 작은 돛단배

나는 오늘도 어김없이 너라는 바다 위에
나의 돛단배를 띄어 놓았다

나의 바람은 너의 바다 위에서
길을 정해줬다
길을 만들어줬다
길을 정할 수 있게 해줬다

너로 인한 작은 파도에도
나는 수 없이 흔들렸다

그러다 밤이 되어 하늘을 바라보면
네가 황홀하게 빛나고 있었다

잠시 쉬어가도 좋을 것 같았다

7

일주일
북두칠성
행운의 숫자
계이름
무지개

7은 너무나 반짝였다

4. 자각몽 自覺夢

자각몽은 나를 그렇게 해

지금 이 순간이 꿈이라는 것을 알았을 때 나는
행복했다

그 사람과 함께 있을 수 있어서 좋았다
마음을 털어놓을 수 있어서 좋았다
그리워하지 않을 수 있어서 좋았다

이 행복이 끝나지 않기를 빌었다

비록 개연성 없는 꿈속 이야기라 해도
내가 지금 어디에 있는지 몰라도
그저 바라만 보고 있어도 정말 좋았다

하지만 지금 이 순간이 꿈이라는 것을 알았을 때 나는
공허했다

아무리 행복했어도
꿈에서 깨어나면 달라지는 게 없었다

궁금하면 오백원

"어젯밤 꿈속에서 너를 봤어
낮에도 너를 봤는데 어찌나 보고싶었는지
할 수 있는 말은 다 했다니깐"

"무슨 말을 했는데?"

"그건 네가 더 잘 알지 않아?"

나비효과2

아무 의미 없는 말을
아, 무의미 하다 라고 느끼지 못했을 그때

나는 왜 그랬을까 생각해보면

그 시절의 나는
너의 사소한 한 마디에도
하루가 뒤바뀌었으니까

다수의 감독

지겹다 지겨워

내가 사람들 웃겨주는 광대도 아니고
매번 다르게 연기하는 배우도 아닌데

언제부터 이렇게 가식적으로 살아야 했지?

내 인생을 영화로 만든다면 그 영화 속의 주인공은
내가 맞을까?

결말은 과연 헤피엔딩 일까?

호접몽 胡蝶夢

꿈을 꿨는데 기억이 잘 나지 않아

내가 나비였는지
아니면 나비가 나였는지

나는 사실 아직도 꽃 위에서 잠시 쉬다 가고 싶어

전율 흐르는 이 새벽, 난 감히 꿈에게 뛰어들어 본다

황혼: 해가 지고 어스름해질 때

무서울 게 하나 없었다

지금 이 순간 그 사람이 내 옆에 있었다면
무슨 말을 해줬을까

잠시 동안 나는 그 사람이 되어 나를 안아줬다

약속해,
이제는 더 이상 울지 않겠다고

약속할게,
다시는 진주 따위 훔치지 않겠다고

널 만났던 건
내 인생 가장 가치 있는 실수였다

하필 이 이야기는 자각몽이여서

갑작스러운 행복이 두려웠다
차라리 불행이었으면
차라리 행복인지도 몰랐을 불행이었으면

나에게 행복이라고 속이며 찾아온 것은
꿈이었다

큰 파도를 만난 소년

소년은 이제 곧 해를 삼킬 바닷가에서
자신의 키보다 더 큰 서핑보드를 들고 서 있었다

파도가 치는 바다의 품속으로 힘껏 달려갔다

양손으로 파도를 헤치며
앞으로만 나아가던 그 소년에 눈에는
무서울 게 하나 없었다

큰 파도를 만나기 전까지

살면서 한 번쯤은 만날 거라 생각했지만
그것은 예고 없이 찾아왔기에
할 수 있는 게 아무것도 없었다

불치병

그 약을 먹으면 더 이상 아파지지 않을 거라고 했다

나는 왜 그 약을 먹을수록
더 힘들어지는 걸까

오래전에 아물었다고 생각했던 그 상처는
시간이 지날수록 계속 벌어져 갔다

"당신은 왜 마지막에 쓸데없는 말을 해서
당신이 없는 그 약을 계속 먹고만 있어야 하는 건가요?"

일기오보

오늘은 하루 종일 맑을 거라고 했다
비가 온다고 해도
잠시 지나가는 소나기일 거라고 했다
강풍이 분다고 해도
단풍은 떨어지지 않을 거라고 했다
천둥 번개가 친다고 하더라도
네가 나의 피뢰침이 되어주겠다고 했다

그렇게 모든 게 완벽할 것만 같던 오늘은
작은 나비의 날갯짓 하나로 하늘이 무너져 내렸다

당신은 꿈속에서 말을 걸어본 적 있나요?

택시 운전사

누군가는 웃으며
누군가는 눈물을 흘리며
누군가는 아무 생각도 없이
그 자리를 스쳐 지나간다

창밖을 바라보면
너무나 빨리 지나가는 세상 속에
나 혼자 멈춰있는 것 같아
나도 모르게 헛웃음이 나온다

여러명의 인생을 싣고 간다

불꽃놀이

눈부시게 아름다운 달빛이 내리쬐는 밤에
그 남자는 모두가 잠든 거리를 달렸다

차가운 낭만적인 공기
들리는 것이라고는 그 남자의 거친 숨소리
펄럭이는 그의 코트였다
적절하지 않은 선글라스
곧 꺼질듯한 작은 불씨를 입에 물고
달리고 또 달렸다

혹여나 그 작은 불씨가 꺼질까 봐
입에서 빼내어 그의 품에 안고 달렸다

한참을 달리고 달려 해변에 도착해
모래를 깊게 파내어 불씨를 심어본다

불씨를 심은 자리 위에
물도 뿌려보고 노래도 불러주고 한참을 바라본다
그리고 작은 꽃이라도 피어나길 기도해 본다

눈부시게 아름다운 달빛이 내리쬐는 밤에
그 남자는 모두가 알 것 같은 뻔한 결말을 만들어본다

춘몽- 구원의 꿈

나는 겨울에 춘몽을 꾼다

겨울의 끝은 찬란한 봄이기를
꽃이 피고 새싹이 자라나는
모든 것이 다시 살아나는
그런 봄이기를

오로지 죽음뿐인 이 겨울 속에서
누군가가 나를 위해 손을 내밀어 주기를
달콤한 춘몽을 꾼다

일장춘몽 이라는 것을 알지만
그래도 꿈을 꾸는 것은 자유니까

vanta black:

색이 아닌 색, 가장 순수한 검정색

내가 밤을 풀어줄 수밖에 없던 사연

해가 질 무렵
나는 아직 일어나지도 않은 별을 주워 담았다

달을 묶어놓고
짙어져 가는 색 위에 밝은색을 덧칠했다

그렇게 해서라도 나는 밤이 다가오지 않기를 바랐다

내가 아프지 않다고 말한 건
너무나 많은 밤이 지나가서 감각이 무뎌졌다는 뜻이지
달은 여전히 아프다고 말하고 싶었다

밤이 나를 치료해 줄 거라고 했던 그 한 마디
아니라는 걸 알고 있었지만
나는 어딘가에 있을 그 사람을 위해
밤을 풀어줄 수밖에 없었다

바다

나는 단 한 번도 채워진 적이 없었다

항상 누군가를 채워주기만 했을 뿐
정작 나는 생각하지도 못했다

파란 바다가 되고 싶었다

내 안에서 무언가가 살아 숨쉬기를 바랐다

결코 숨 쉬지 못할 공간에서도 누군가는 살아
숨 쉬길 바랐다

그리고 깊은 곳에서부터 천천히 다가오는
파도를 느끼고 싶었다

그날 밤 나의 꿈속에

다시는 울지 않겠다는 약속

눈물만 메마를 줄 알았지만
내 감정조각도 메마르기 시작했다

그러다 도저히 안될 것 같았을 때는
구름을 세어보았다

"내가 괜한 약속을 했나보다
미안해, 그럴 때는 그냥 마음껏 울어도 돼
그러다가 우는 법을 잊어버리면 곤란하잖아"

달밤의 서핑

앞뒤도
깊이도
보이지 않던 그 바다 한가운데에서
내가 유일하게 갖고 있었던 것은
서핑보드였다

다시 해가 뜰 때까지
살아남아야 했던 나는
오로지 달빛에만 의지한 채

앞으로
앞으로
나아갔다

그러다가 너무 지쳐 잠시 쉬어가기로 했다

고개를 떨궈 아래를 내려다 봤다

윤슬에 비친 것은

백조였다

나 혼자서라도 건네보는 안부

어디에 있는지
뭘 하고 있는지
어떻게 지내는지
잘 모르는 너에게 딱 한마디만 할 수 있다면

"잘 지내지?"
라고 말하는 것은 너무 식상하고

"돌아와 줘"
라고 말하는 것은 자존심이 아까우니

"행복해야 돼"
라고 말하는 것이 가장 좋을 것 같다

정 情

다른 사람에게 주기도 받기도 너무 어려웠다

몰래 줘도
대놓고 줘도
알아차리지 못한 사람아

한 사람이 너에게 그것을 주기까지
정말 많은 시간이 들었다는 걸
왜 모르는가

반대로
다시 당신에게서 가져오기도
정말 많은 시간이 든다는 걸
왜 모르는가

한 사람의 정 이라는 게
그리 쉽게 만들어지지 않는다 이 말이야

꿈을 잃지 않았다면 하얀 구름 사이로 날고 있는

유니콘을 봐

-둘리 [유니콘 中]-

땅끝

마음먹기에 따라 땅의 끝은 존재하지 않는다

설령 땅의 끝에 가게 되더라도
다음 발걸음이
거센 파도가 몰아치는 바다라고 생각하지 않는다면
그것은 땅의 끝이 아니며
새로운 길이다

약 100년의 청춘

우리는 무엇을 위해 살아가는가
아니, 무엇을 위해 죽어가고 있는가 가
맞을지도 모르겠다

그러니
내일이 나의 죽는 날인 것처럼
미친 듯이 살아라
아니, 미친 듯이 죽어가라

추억이라는 기억 속에서 지우는 법

추억이라는 기억을 함께 공유한 사람을
잊는 방법은 쉽지 않았다

하지만 정말로 이제는 보내줘야 할 때가 온 것 같다고
생각이 들었을 때는
잠시 현실에서 꿈을 꿔야 했다

저 푸른 하늘과
눈치 없게도 너무 하얗고 예쁜 구름
싱그러웠던 여름날의 나무
나의 키보다 더 컸던 서핑보드
누군가의 진주를 모두 다 잊고

다시 현실에서 깨어나야만 했다

꿈속에서 말을 걸다

꿈에 정말 좋아했던 사람이 나왔다

알 수 없는 세계관 속에
나는 그와 자연스럽게 이야기를 나누며
행복한 미소를 짓고 있었다

하지만 난 이 모든 것이 꿈이라는 것을
잘 아는 사람이었기에 너무 공허했다

그 사람에게 말을 걸었다

"있잖아.. 이거 꿈이지?
꿈에서 깨어나면 달라지는 게 없겠지?"

"아니, 이거 꿈 아니야
꿈이라고 해도 너와 같은 꿈을 꾸고 있을 거야"

꿈의 결말을 알게 될 그날까지..

꿈속에서 말을 걸다

발　행 | 2024년 02월 20일
저　자 | 반채영
펴낸이 | 한건희
펴낸곳 | 주식회사 부크크
출판사등록 | 2014.07.15.(제2014-16호)
주　소 | 서울 금천구 가산디지털1로 119, SK트윈타워 A동 305호
전　화 | 1670 - 8316
이메일 | info@bookk.co.kr

ISBN | 979-11-410-7293-3

www.bookk.co.kr